hen

butterflies

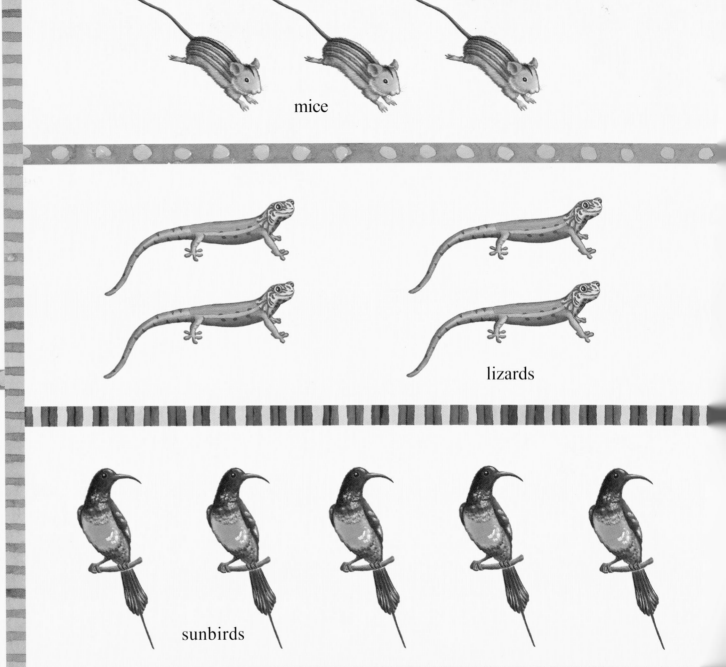

mice

lizards

sunbirds

crickets

baby bullfrogs

spoonbills

starlings

For John and Milo

The children featured in this book are from the Luo tribe of south-west Kenya.

*The wild creatures are the Citrus Swallowtail (butterfly), Striped Grass Mouse,
Yellow-headed Dwarf Gecko, Beautiful Sunbird, Armoured Ground Cricket,
(young) African Bullfrog, African Spoonbill and Superb Starling.*

*The author would like to thank everyone who helped her research this book,
in particular Joseph Ngetich from the Agricultural Office of the Kenya High Commission.*

Text and illustrations copyright © 2002 Eileen Browne
Dual Language copyright © 2003 Mantra Lingua
This edition published 2003
Published by arrangement with Walker Books Limited
London SE11 5HJ

British Library Cataloguing in Publication Data:
a catalogue record for this book is available from the British Library.

Published by
Mantra Lingua
5 Alexandra Grove, London N12 8NU
www.mantralingua.com

Huku yaHanda

Handa's Hen

Eileen Browne

Shona translation by Laetitia Nyama

mantra

Ambuya vaHanda vaive netseketsa imwe chete nhema.
Zita rayo yainzi Mondi - zvakare mangwanani ega ega
Handa aipa Mondi kudya kwayo kwemangwanani.

Handa's grandma had one black hen.
Her name was Mondi - and every morning
Handa gave Mondi her breakfast.

Rimwe zuva, Mondi haina kuuya kuzodya zvekudya zvayo.
"Ambuya!" akadaro Handa. "Mamboonawo here Mondi?"
"Kwete," vakadaro Ambuya. "Asi ndiri kuona shamwari yako."
"Akeyo!" akadaro Handa. "Ndibatsirewo kutsvaga Mondi."

One day, Mondi didn't come for her food. "Grandma!" called Handa. "Can you see Mondi?"
"No," said Grandma. "But I can see your friend."
"Akeyo!" said Handa. "Help me find Mondi."

Handa naAkeyo vakatsvaga kutenderera zumbu rese.
"Tarisa! Mashave-shave maviri," akadaro Akeyo.
"Asi ko Mondi iri kupi?" akadaro Handa.

Handa and Akeyo hunted round the hen house.
"Look! Two fluttery butterflies," said Akeyo.
"But where's Mondi?" said Handa.

Vakadongorera pasi pehozi.
"Nyarara! Makonzo matatu," akadaro Akeyo.
"Asi ko Mondi iri kupi?" akadaro Handa.

They peered under a grain store.
"Shh! Three stripy mice," said Akeyo.
"But where's Mondi?" said Handa.

Vakadongorera kuseri kwehari.
"Ndiri kuona tumadzvinyu tuna," akadaro Akeyo.
"Asi ko Mondi iri kupi?" akadaro Handa.

They peeped behind some clay pots.
"I can see four little lizards," said Akeyo.
"But where's Mondi?" said Handa.

Vakatsvaga vachitenderera miti yakanga ine maruva.
"Dhimba shanu dzinoyevedza," akadaro Akeyo.
"Asi ko Mondi iri kupi?" akadaro Handa.

They searched round some flowering trees.
"Five beautiful sunbirds," said Akeyo.
"But where's Mondi?" said Handa.

Vakatarisa muhuswa hurefu, hwakamonana.
"Zvitota zvitanhatu!" akadaro Akeyo. "Ngatizvibatei."
"Ndinoda kutsvaga Mondi," akadaro Handa.

They looked in the long, waving grass.
"Six jumpy crickets!" said Akeyo. "Let's catch them."
"I want to find Mondi," said Handa.

Vakafamba nzira yese kusvika kutsime.
"Mazunguzurwa," akadaro Akeyo. "Pane manomwe!"

They went all the way down to the water hole.
"Baby bullfrogs," said Akeyo. "There are seven!"

"Asi ko … ah tarisa! Matsimba!" akadaro Handa.
Vakatevedza matsimba aya vakaona …

"But where's … oh look! Footprints!" said Handa.
They followed the footprints and found …

"Mashuramurove chete," akadaro Handa. "Manomwe … kwete masere.
Asi ko, ah ko Mondi iri kupi?"

"Only spoonbills," said Handa. "Seven … no, eight.
But where, oh where is Mondi?"

"Handifunge kuti yamedzwa neshuramurove -
kana kudyiwa neshumba," akadaro Akeyo.

"I hope she hasn't been swallowed by a spoonbill -
or eaten by a lion," said Akeyo.

Vakasuruvara, vakadzokera vakananga kwaAmbuya.
"Husvu pfumbamwe dzinopenya - uko!" akadaro Akeyo.

Feeling sad, they went back towards Grandma's.
"Nine shiny starlings - over there!" said Akeyo.

"Terera," akadaro Handa. $^{tiyo}tiyo$ "Chii icho?"

$^{tiyo}tiyo$ $^{tiyo}tiyo$ $^{tiyo}tiyo$ $^{tiyo}tiyo$

"Chiri kubva pazasi pegwenzi iro. Tingadongorere here?"

"Listen," said Handa. $^{cheep}cheep$ "What's that?"

$cheep$ $cheep$ $cheep$ $cheep$
$cheep$ $cheep$ $cheep$ $cheep$

"It's coming from under that bush. Shall we peep?"

Handa, Akeyo, Mondi nehukwana gumi

Handa, Akeyo, Mondi and ten chicks

nekukurumidza vakafambisa vachisvetuka kudzokera kwaAmbuya ...

hurried and scurried and skipped back to Grandma's ...

kwavakasvikononokesa vese kudya kwavo kwemangwanani.

where they all had a very late breakfast.

hen

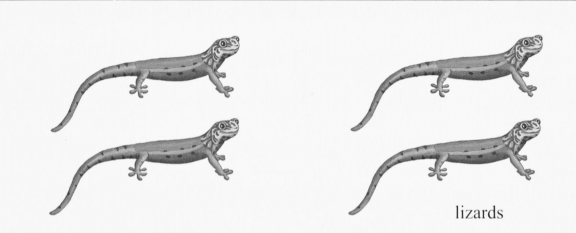

mice

lizards

butterflies

sunbirds

crickets

baby bullfrogs

spoonbills

starlings

chicks